Thomas PLAN & BRIINO

Lavi moun

RETOUR AUX SOURCES

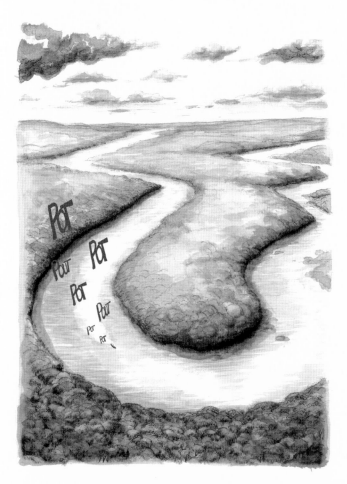

CARAÏBÉDITIONS

Pou Lamanouch...
Pou Babèt, Alyne, Emily, Léopold ké Man Fanny.
À Sandra et Fabrice Maingé.
Merci à Appollo, S. Huo-Chao-Si, F. Urbatro
et E. Robin du Nèfsèt Kat

Briiiino

www.caraibeditions.fr
LAVI MOUN - RETOUR AUX SOURCES
Tous droits réservés.
©2013 CARAÏBEDITIONS
Première impression : novembre 2013
Imprimé par : BIGSA
ISBN : 978-29-17623-50-3

(1) Abeilles.
(2) Attention !

(1) Touche pas à mes fesses !
(2) Iwaki, la paix !

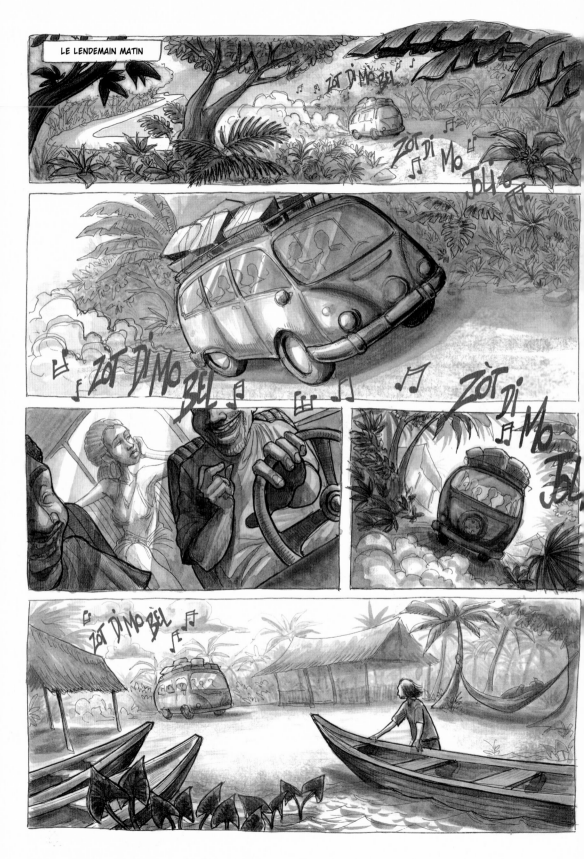

(1) T'es amoureux !
(2) Iwaki casse du petit bois : drague.
(3) Quand le chat n'est pas là les souris dansent !

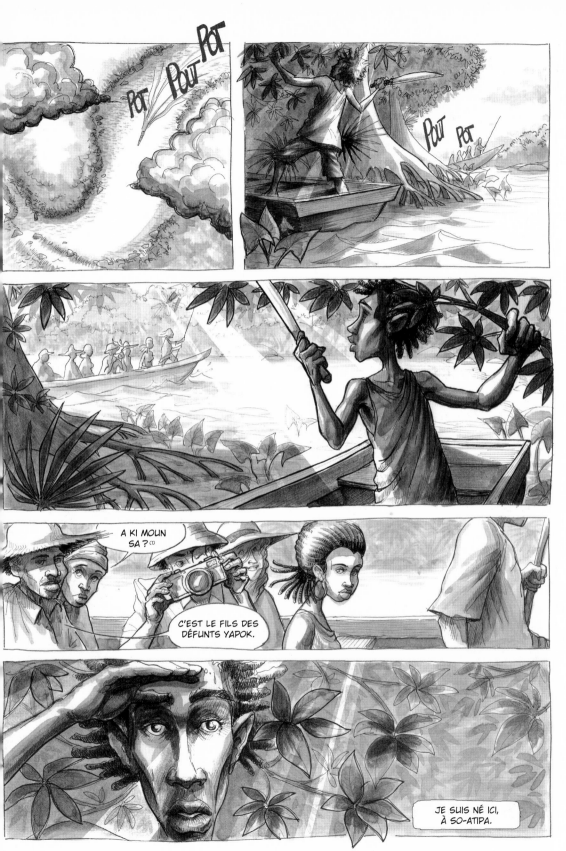

1) Qui est-ce ?

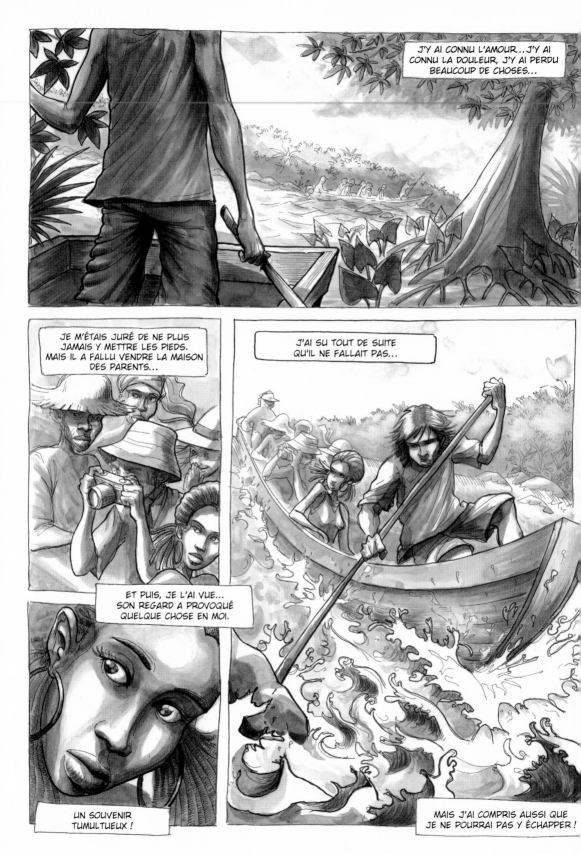

(1) Nouvelles.
(2) Il doit être vert de rage !

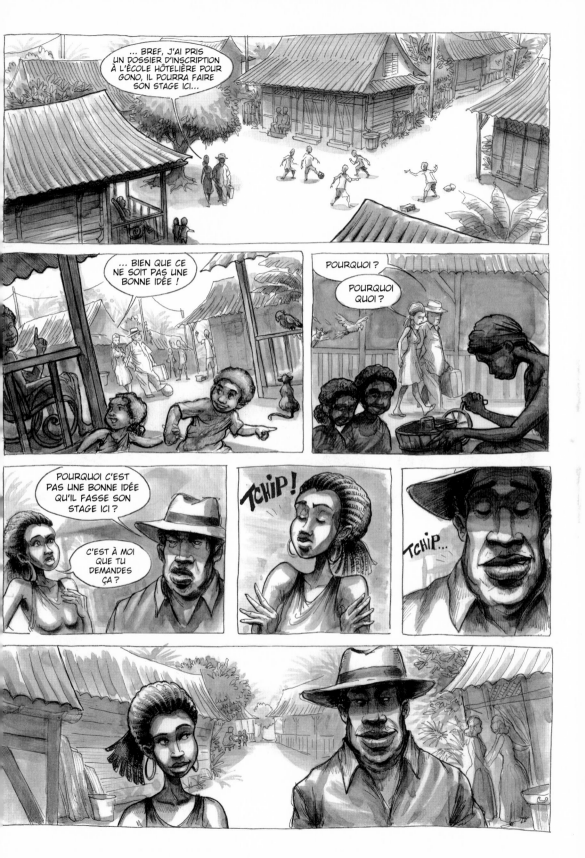

15

17

18

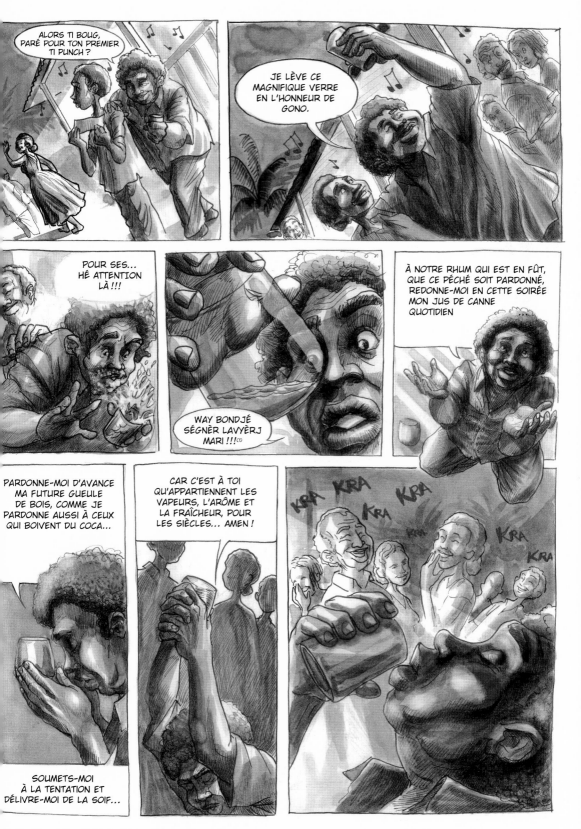

Mon Dieu Seigneur la Vierge Marie ! : oh putain de merde !

Natif de So-Atipa.
Proverbe martiniquais : "Sac vide ne tient pas debout !"
Rien ne sert de courir, il faut partir à point.

30

Ne fais pas de manière.

(1) Rira bien qui rira le dernier !

⁽¹⁾ Au chant de l'oiseau matinal : à l'aube.

UN PEU PLUS TARD...

BIENVENUE AU TCHENBÉ TCHÒ !

Y'A QUOI À MANGER, MAN ?

Y'A DES CROISSANTS ?

JE VAIS VOUS RACONTER UNE HISTOIRE LES ENFANTS.

IL N'Y A PAS SI LONGTEMPS, ON NE FAISAIT QU'UN SEUL VRAI REPAS ICI...

C'ÉTAIT LE PETIT-DÉJEUNER. UN SOLIDE PETIT-DÉJEUNER, LE TCHENBÉ TCHÒ !

ILS MANGEAIENT PAS LE MIDI ?

LE TRAVAIL DANS LES PLANTATIONS, PUIS PLUS TARD DANS LES ABATIS, ÉTAIT TRÈS DUR.

ILS POUVAIENT MOURIR ?

(1) Poisson d'eau douce de la famille des poissons-chats, fumé au feu de bois.
(2) Semoule de manioc.
(3) Sorte de pâte de pain rectangulaire.

45

(1) L'une des trois espèces d'atipas peuplant les bandes côtières, les criques et les rivières.
(2) Fleuve de l'est de la Guyane.
(3) Affluent de l'Aprouague.

MERCI, MERCI AU GROUPE BLACK WOOD !

ROUN TI LANMEN POU YÉ SOUPLÉ ![1]

[1] Applaudissez-les s'il vous plaît !

49

(1) Y'a pas plus sourd que celui qui ne veut pas entendre !
(2) On n'étouffe pas le feu avec de la paille.

53

54

(1) Je suis sûr qu'il la drague.

... UN...

... ALLUMAGE !

TU ÉTAIS L'AMANT DE MANA ET MON PÈRE L'A SU.

ET JE CONNAIS PADO... HUM ! IL PEUT ÊTRE TRÈS MAUVAIS... C'EST POUR ÇA QUE TU ES PARTI...

ICI DANS LA SALLE JUPITER, ON RESSENT TOUJOURS LES VIBRATIONS IMPRESSIONNANTES GÉNÉRÉES PAR LE DÉCOLLAGE, QUI, ON PEUT LE DIRE MAINTENANT, SE DÉROULE PARFAITEMENT...

ALORS !

JE SAIS PAS, J'ENTENDAIS PAS...

TOUT ÇA POUR ÇA !!!

... PLUS DE TRENTE ANS APRÈS SON PREMIER VOL, ON PEUT PARLER D'UN FRANC SUCCÈS POUR LA 200ᵉ MISSION DU LANCEUR EUROPÉEN.

BREF TOUT EST TRÈS CLAIR, MORYA A UN NOUVEAU DJAL⁽¹⁾ !

⁽¹⁾ Un petit copain, un amoureux.

61